P9-EMM-381

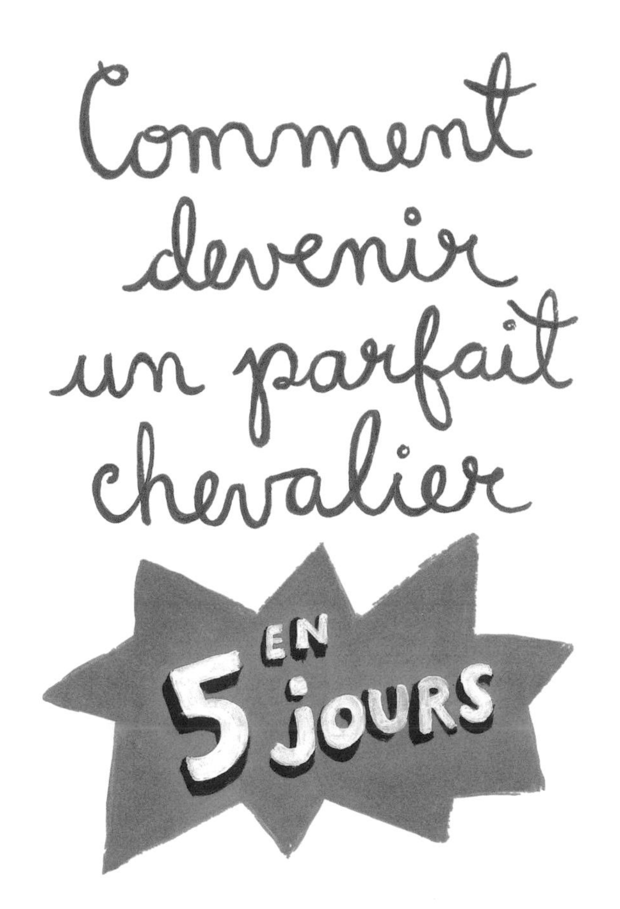

Comment devenir un parfait chevalier en 5 jours

texte de Pierrette Dubé

illustrations de Caroline Hamel

Catalogage avant publication
de Bibliothèque et Archives nationales du Québec
et Bibliothèque et Archives Canada

Dubé, Pierrette, 1952-

Comment devenir un parfait chevalier en 5 jours

Pour enfants de 4 ans et plus.

ISBN 978-2-89608-057-1

I. Hamel, Caroline. II. Titre.

PS8557.U232C652 2008
jC843'.54 C2008-940328-2
PS9557.U232C652 2008

Il est interdit de reproduire, d'enregistrer ou de diffuser
en tout ou en partie le présent ouvrage par quelque procédé
que ce soit, électronique, mécanique, sonore, magnétique
ou autre, sans avoir obtenu au préalable l'autorisation écrite
du propriétaire du copyright.

Comment devenir un parfait chevalier en 5 jours
©Pierrette Dubé / Caroline Hamel
©Les éditions Imagine inc. 2008
Tous droits réservés

Graphisme : Caroline Hamel

Dépôt légal : 2008
Bibliothèque nationale du Québec
Bibliothèque nationale du Canada

Les éditions Imagine
4446, boul. Saint-Laurent, 7e étage
Montréal (Québec) H2W 1Z5
Courriel : info@editionsimagine.com
Site Internet : www.editionsimagine.com

Tous nos livres sont imprimés au Québec.
10 9 8 7 6 5 4 3 2 1

Gouvernement du Québec - Programme de crédit d'impôt
pour l'édition de livres - Gestion SODEC - Programme d'aide
aux entreprises du livre et de l'édition spécialisée.

Nous reconnaissons l'aide financière du gouvernement du Canada
par l'entremise du programme d'aide au développement de l'industrie
de l'édition (PADIÉ) pour nos activités d'édition.

Nous remercions le Conseil des Arts du Canada
de l'aide accordée à notre programme de publication.

Pour Simon et Benoît qui, heureusement, ne sont pas de parfaits chevaliers.
Pierrette

Un chevalier rempli d'idées pour Talia, ma princesse adorée.
Caroline

hilibert Lamedefer était issu d'une longue lignée de chevaliers dont les exploits étaient célèbres dans toute la contrée. Ses ancêtres avaient défendu des rois, remporté d'innombrables tournois. Ils étaient tous costauds comme des taureaux, grands comme des géants.

Philibert n'avait ni la carrure ni le caractère des membres de son illustre famille. Il n'était pas un colosse comme son oncle Amos, ni une armoire à glace comme son oncle Horace. Il n'était pas colérique comme son oncle Ludovic, ni intrépide et hardi comme son oncle Henri. Et, bien sûr, il ne rêvait pas de faire la guerre comme son oncle Adalbert.

« Cet enfant est trop petit, se désolait son père, le grand Dagobert. Mais ce qui est encore plus inquiétant, c'est qu'il a affreusement bon caractère ! »

Dans la famille Lamedefer, on n'avait jamais rien vu de tel depuis des centenaires.

AMOS
ADALBERT
LUDOVIC
HORACE
HENRI

x 2
x 2

Le petit Philibert était un enfant doux, rêveur et plein d'imagination. Au lieu de s'amuser avec une épée, il pouvait passer des heures à gribouiller sur des bouts de papier. Il fabriquait ensuite des choses bizarres dont son père ne voyait pas du tout l'utilité.

- Quand cesseras-tu de rêver? se lamentait son père. Un bon chevalier doit savoir se battre, personne ne lui demande d'avoir des idées.

Comme il aurait aimé que son fils ressemble à son cousin Brise-Fer, qui avait déjà le tempérament d'un futur combattant !

Philibert avait d'autres passe-temps, qu'il jugeait plus amusants.

« Au fond, se disait-il, il n'est pas nécessaire d'être grand pour faire des pas de géant. »

- Que faire ? demanda le grand Dagobert à son père, son meilleur conseiller.

- Il faut lui offrir un cheval, recommanda le vieux Norbert. Sans cheval, pas de chevalier !

Philibert reçut donc un destrier pour son anniversaire. Dès qu'on essaya de le faire monter, il se mit à éternuer, une fois, deux fois, dix fois ! Au grand désespoir de son père, Philibert était allergique aux chevaux !

Un médecin lui prescrivit une potion pour l'empêcher d'éternuer, mais Philibert ne se montra pas davantage intéressé par les grandes chevauchées. Il préférait un autre moyen de déplacement qu'il venait d'inventer.

1344
POTION
anti-atchoum
la bottine roulante

- Que faire? s'interrogeait le grand Dagobert.

- Il faut l'envoyer à l'École des apprentis chevaliers, proposa cette fois le grand-père Norbert en lui tendant une publicité.

Évidemment, jamais un Lamedefer n'avait eu besoin d'y aller. Mais pour Philibert, il fallait reconnaître que c'était nécessaire.

Philibert partit pour l'École des apprentis chevaliers dès le lundi suivant. Il apporta quelques petits articles qui lui semblaient indispensables pour bricoler.

La cour de l'école était remplie de garçons grands et costauds, qui regardaient Philibert de haut. Le plus grand était Caligula Grosbras, un enfant qui semblait aussi doué pour la guerre que le cousin Brise-Fer.

- Aujourd'hui lundi, annonça le professeur, M. Monte-En-L'air, vous allez apprendre à escalader une muraille, ce que tout parfait chevalier doit pouvoir accomplir avec agilité.

Tous les apprentis chevaliers empoignèrent les échelles, Caligula Grosbras le premier.

Philibert songea qu'une simple perche serait plus facile à manier.

Bien sûr, il aurait été plus sage de prévoir l'atterrissage...

- Aujourd'hui mardi, dit le professeur, M. Garde-À-Vous, vous allez apprendre à porter l'armure, le casque et le bouclier avec fierté, comme tout parfait chevalier.

L'armure de Caligula Grosbras lui allait parfaitement. Philibert trouva cet attirail un peu encombrant. Après quelques modifications, il en fit un nouveau moyen de locomotion... qui provoqua une certaine commotion.

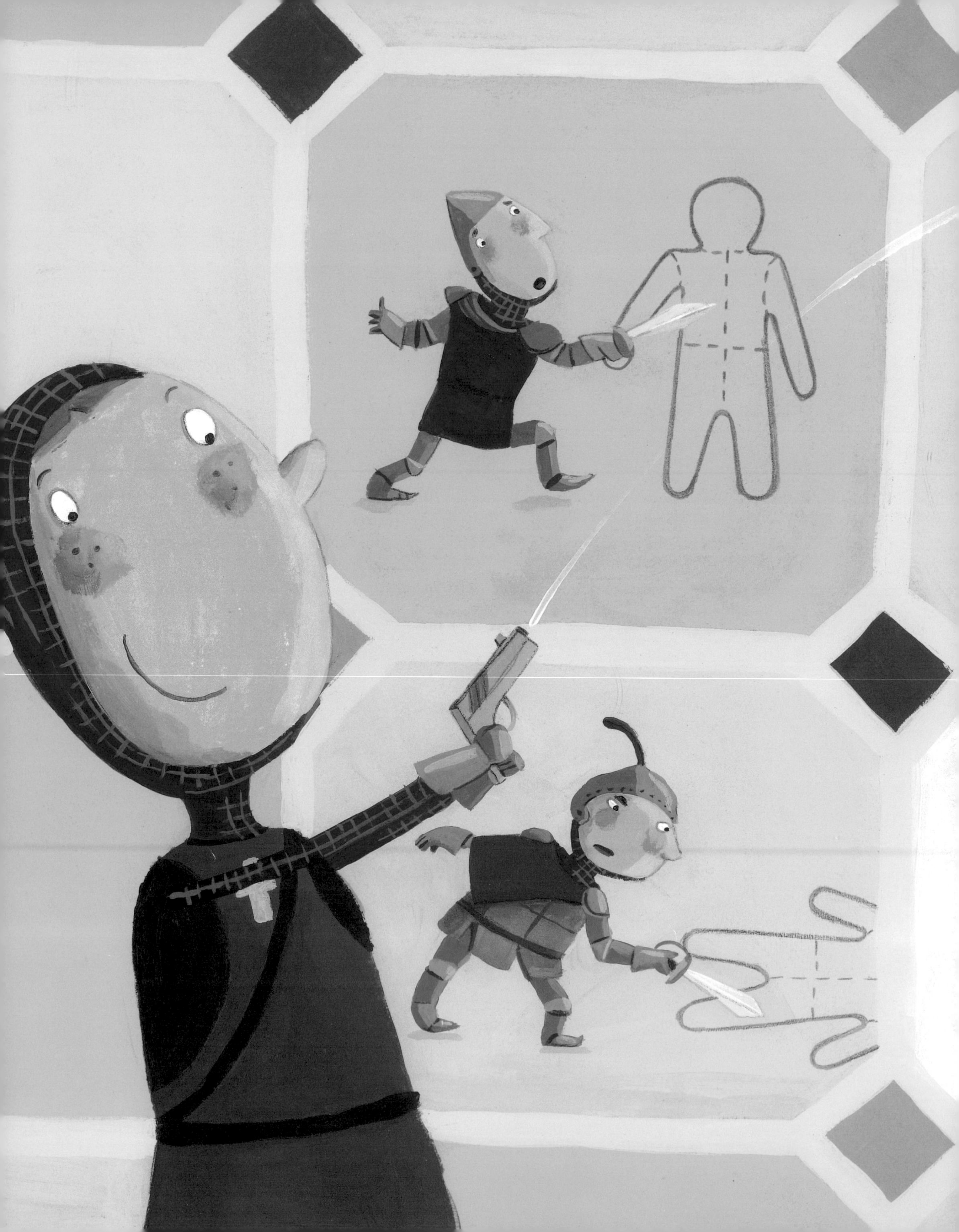

- Aujourd'hui mercredi, annonça le professeur, M. Tranche-Montagne, vous allez apprendre à manier la lance et l'épée, ce que tout parfait chevalier doit savoir faire avec dextérité.

Caligula Grosbras se montra très doué. Philibert jugea que c'était un jeu un peu risqué. Il inventa une arme inusitée, moins tranchante et beaucoup plus rafraîchissante.

M. Tranche-Montagne ne sembla pas apprécier.

- Aujourd'hui jeudi, dit le professeur, Mme Pouliche, vous allez apprendre à monter à cheval, car un parfait chevalier est avant tout un excellent cavalier.

Philibert avait oublié d'apporter sa potion contre les éternuements. Il disparut donc sans la moindre explication. On eut beau le chercher, impossible de le trouver...

Il ne restait plus qu'une seule journée avant la remise des diplômes. Le lendemain avait lieu l'épreuve finale. Le roi, la reine et tous les parents étaient invités à y assister.

« Que penseront mon père, mon grand-père et tous les Lamedefer si je n'obtiens pas le diplôme de parfait chevalier ? » s'inquiétait Philibert.

Philibert ne dormit pas cette nuit-là et travailla avec fébrilité.

Vas-y Philibert!

- Aujourd'hui vendredi, annonça le directeur, M. Sanspeur, vous apprendrez à ne reculer devant aucun danger, comme tout parfait chevalier. Il vous faudra galoper jusqu'à la caverne où se terre le terrible dragon Mange-Tout-Rond, puis en rapporter, en guise de trophée, l'un des bijoux de son précieux trésor.

Philibert apparut alors, monté sur un drôle d'engin qui étonna fort les spectateurs.

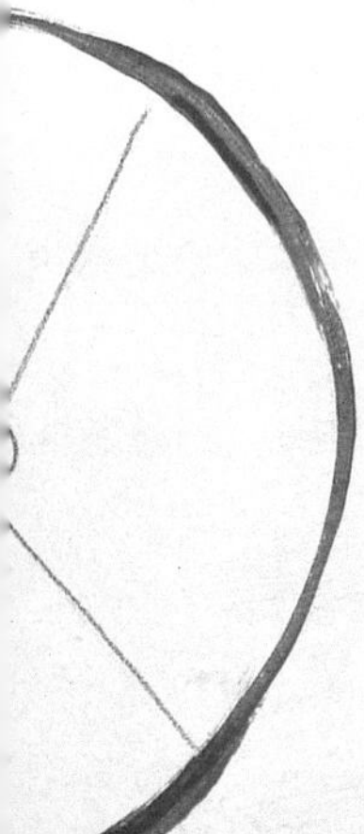

- Mais qu'est-ce que cet enfant a encore inventé? s'exclama le grand Dagobert, catastrophé.

Les apprentis chevaliers, Caligula Grosbras le premier, s'élancèrent au grand galop. Philibert en fit autant en...?

L'approche de ses attaquants provoqua chez le dragon une épouvantable crise d'éternuements.

- Enfer et damnation ! s'exclama Mange-Tout-Rond, je sens qu'il y a des chevaux dans les environs !

Il éternua une fois, deux fois, dix fois ! Philibert comprit que le dragon était, lui aussi, allergique aux chevaux...

« Tant mieux ! se dit-il. Avec ma monture en métal, je pourrai m'en approcher plus facilement. »

Le dragon Mange-Tout-Rond n'était pas très bien élevé. Personne ne lui avait appris qu'il faut se couvrir la bouche avant d'éternuer…

Pendant que les apprentis chevaliers reculaient, effrayés, Caligula Grosbras le premier, Philibert réussit à entrer dans la caverne sans se faire remarquer.

Au grand désespoir de M. Sanspeur, tous les apprentis chevaliers revinrent bredouilles. Tous, sauf… Philibert.

« Où est-il donc passé ? se demandait le grand Dagobert. S'il fallait que le dragon n'en eût fait qu'une bouchée ! »

Les invités commençaient à s'impatienter lorsque Philibert apparut enfin, brandissant un précieux médaillon serti de rubis.

La foule éclata en applaudissements.

M. Sanspeur se montra sans pitié et, malgré les protestations de l'assemblée, il décida que Philibert serait disqualifié pour avoir monté « un animal non autorisé ».

Dagobert Lamedefer n'en était pas moins fier.

- C'est mon fils, c'est mon fils ! ne cessait-il de répéter. Ce petit est un véritable génie !

« Il est vrai, songea le grand-père Norbert, que les Lamedefer ont toujours été chevaliers, mais le métier d'inventeur est aussi un honorable métier… »

Philibe

Réfléchissant ce soir-là aux événements de la journée, le grand Dagobert eut la curiosité de demander :

- Mais dis-moi, mon enfant, comment as-tu réussi à vaincre le dragon, puis à lui dérober le médaillon ?

- C'est bien simple, répondit Philibert. En échange du médaillon, j'ai promis de lui réserver ma prochaine invention.